在殼裏的牠...

For the one in the eggshell,

世界是...白白的
The world is... plain white.

出生後...

One day, the eggshell cracks open and the bird is born.

這是你的天空

This is the sky that you see…

這是鳥的天空

This is the sky that the bird sees.

這是你的山

For you, the mountains look like this.

這是鳥的山

For the bird, the mountains look like this.

這是你的電視

This is what the television looks like – to you.

這是鳥的電視　當然　牠根本不想看電視

This is what the television looks like to the bird.
Of course, it doesn't care for watching TV.

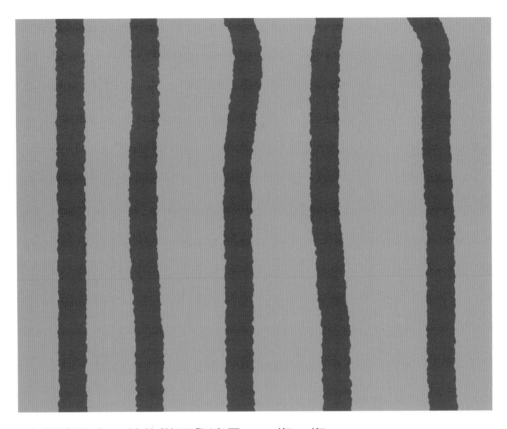

在籠裏的鳥　牠的世界永遠是　一條一條...

For the bird in the cage,
there are always lines that cross its world.

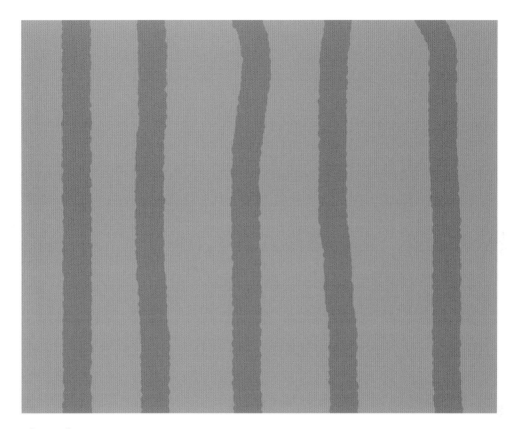

如果有一天...

If someday,

一條一條消失了

The lines were to disappear…

鳥就可以...

The bird could...

和你有一樣的天空

Fly in a sky that looks like yours

和你有一樣的山

And see the mountains that you see.

讓鳥兒自由地飛　是一件快樂的事

It is a happy thing for birds to be free.

素食中有一朵花

018.放生，也就是修行的一部份

023.小點心+涼品

058.小猿猴

061.幸福小菜

080.牠的母愛不會比人少！

083.蔬食料理

112.母鴨救小鴨

115.眷村菜

136.胖胖豬，露露

139.異國風味

152.到佛寺來的小動物...

158.選擇

169.法界佛教總會簡介

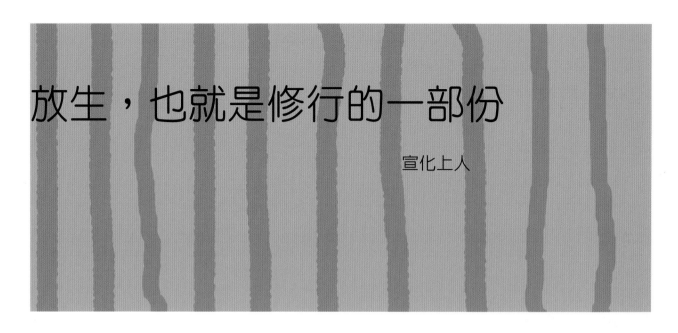

放生，也就是修行的一部份

宣化上人

因為我不願意囚到監獄裏頭去，
所以我也不願意眾生在這個籠子裏頭。

美國人看見「放生」是很奇怪的一件事。為什麼要放生呢？我告訴你們，放生令眾生得到自由，不在這個籠裏邊囚著；所以要讓發起的慈悲心長大起來，使得眾生都得到解放、得到自由。我們不殺生也是修慈悲心，使慈悲心一天比一天大起來，大得像觀音菩薩那個大慈大悲的心那麼大；觀音菩薩就因為放生而且不殺生，所以祂有大慈大悲的心。我們想學觀音菩薩大慈大悲的心，所以要放生！按照現在的邏輯學來講，你放生就會增加你的慈悲心；或者放生也就是放我，為什麼呢？因為我和眾生是一體的，眾生也就是我，我也就是眾生，好像自己要被人囚到籠子裏，你說是不是很不舒服的，沒有自由了，自己會不高興。

若是自己被人囚到這個監獄裏頭去，自己也會不願意在那裏頭住，所以希望自己被人放生；因為我不願意被囚到監獄裏頭去，所以我也不願意眾生在這個籠子裏頭。這是因為我和眾生彼此有一種同體的這種感覺，所以要放生，這也是一個講法。此外，這個眾生，你不知道在前生牠和我有什麼關係，或者是我的父親、母親也不一定，或者是我的兄、弟、姊、妹也不一定，或者是我的子、女也不一定，或者是我的朋友也不一定；現在我沒有得到天眼通，沒有證得宿命通，我不知道這種前因後果的關係。所以我們現在看見這個畜生，沒有得到自由，心裡就掛著放不下，用放生來令其自由。

放生，也就是修行的一部份，修行不是只有一條路才可以修行成功的；八萬四千法門，門門都是成無上道的一條道路。放生就是其中之一，在美國這兒過去很少人懂這個道理，因為沒有人懂，我們就要做一個領導的人，開這種風氣，讓大家都明白這種法。所以，切記不要說這個是個愚痴的行為，如果有這種心，對你自己修道上是會有障礙的。方才我說：「自己被關到籠子裏，就像關到監獄裏頭，自己很不願意的。」方才說的只是個比喻，現在我給你們說一個真實的法，老老實實地告訴你們，這不是一個比喻，這是真的。你自己的身體就是一個籠子，你在你的身體裏頭跑也跑不出去！就好像方才說的煖、頂、忍、世第一，你始終也沒有在煖位上，也沒有到頂位上，也到不了忍、世第一，你等你到了世第一了，那就是出去這個籠子了，那是你自己放你自己的生，是真放生！懂了沒有？

現在我給你講一點真正的道理，你要是想得到那個煖、頂、忍、世第一的放生，就先要放這個生；你放這個「生」就會增加你那個「生」，就是你那個「生」也就會長大了，所以放生在佛法裏頭佔了很重要的地位。因為你自己沒有得到這種的滋味，沒有領悟到這種的道理，你認為它是很普通的；若你想要得到你自己的放生，你先要修這個放生法！你不修這個放生就得不到那個放生，這是生生世世，化化無窮的道理。你不要把這個放生的功德看小了！你這邊做了一點，那地方就增加了很多，這個修道就是要自己去修行的，你不明白這個道理，切記不要批評這種法門。現在我說這個法裏頭，或者有人明白，或者有人不明白。

出去這個籠子了，那是你自己放你自己的生，是真放生！

小點心+涼品

吃素也不能忘記的小點心...

24.炭烤玉米

27.水晶紅豆粽

31.割包

34.馬鈴薯泥

36.烤地瓜

38.煎水餃

42.蓮藕糯米

44.蘿蔔糕

48.芥末三明治

50.水果沙拉三明治

52.綠豆珊瑚湯

54.山粉圓百香果汁

56.水果醋

炭烤玉米

材　　料：白玉米

調味料：沙茶醬、醬油膏、煉乳、白胡椒粉

工　　具：烤盤、木炭、火種、夾子、有木柄的鐵刷(五金行可買到)

準　　備：先將玉米烤成金黃色備用。

步　　驟：1.將烤半熟的玉米，
　　　　　　用鐵刷刷一下。

2.第一次先刷上醬油膏，略烤一
　下，再刷上沙茶醬烤，重複再
　刷2-3次的醬油膏再烤，感覺玉
　米都已經入味了，即可刷上一
　層薄薄的煉乳，最後再灑上胡
　椒粉即完成。

小秘訣：

1. 挑選玉米時，不要買黃色玉米或有甜味的玉米；軟硬視個人喜好。

2. 烤玉米，如果有烤焦的情況時，只要用鐵刷刷一刷即可。

3. 烤玉米時，火不要太大，要一直轉動。煉乳要在最後烤好時才可塗上。

4. 如果沙茶醬或醬油膏太鹹，可調入一點糖。如果喜歡吃辣，可以刷一層辣椒醬。

最重要的！
如果不加甜甜的煉乳
就不會像外面賣的一樣好吃

水晶粽 (24個)

材料：水晶粉300公克、麥精糖漿450公克、青粽葉、棉線

紅豆餡（或其他口味）1000公克

步驟：

1. 粽葉洗乾淨，燒開水將粽葉燙過，放冷備用。紅豆餡分成24份。

2. 水晶粉加入300cc的水攪拌均勻備用。

3. 麥精糖漿加入600cc的水，用中火煮滾。趁滾的時候，沖入步驟2.的水晶粉漿，一邊沖一邊攪拌均勻成糊狀（變成白色）。放入蒸籠，可直接用冷水蒸約10-15分鐘，等水晶糰變成透明狀，才可熄火。

4. 趁蒸水晶皮的期間，將粽葉的光滑面抹油備用。

5. 蒸好的水晶皮，趁熱分割24份。水晶皮用手壓扁，將紅豆餡放中間包起來。

6. 先搓成圓形，用粽葉像包粽子一樣包起來，用棉線綁緊後放入冰箱冷藏。水晶粽要經過冷藏，吃起來才會好吃QQ的。

變化：

1. 餡可以視自己喜好變化。

2. 如果不用粽葉包，可以利用家中現有的模具或小碟子，將包好餡水晶糰抹上太白粉或玉米粉後壓入模型後，倒扣即可放入冰箱冷藏。如果宴客，建議用粽子形狀比較漂亮，水晶皮較亮，口感也較軟。

秘訣：

1. 蒸熟的水晶皮會黏，使用時需抹油。水晶糰溫度越涼，黏度越強，
   所以要趁熱包。包的時候，要帶兩層手套，裡面是棉布手套，外層
   是透明塑膠手套，要記得抹油。

2. 一顆水晶粽大約55公克才會可愛，皮及餡的比例大約是1：1。

3. 可以冷凍存放1-2個月，吃之前請先退冰，回軟即可食用。

叮嚀：

1. 不能用太白粉代替水晶粉，因為太白粉冷了會變硬。麥精糖漿也無法用冰糖或其他糖代替。

2. 新鮮青粽葉只有在端午節季節才買的到，平時要做時，可以買乾的粽葉，處理方式同步驟1.。粽葉要燙過才會軟。

3. 水晶粉及麥精糖漿可以在烘焙店買到。

割包 (又稱刈包，台灣人的漢堡) 6人份

材　料：割包、酸菜（含葉子）半斤、豆包半斤、香菜少許

調味料：薑末1大匙、辣椒1根（切成末）

　　　　醬油2大匙、糖1大匙、花生粉適量

炒酸菜步驟：

1. 酸菜略為清洗後，泡水約10分鐘。泡好後把水擰乾，將酸菜切成末。

2. 冷鍋（先不要放油）下酸菜，炒至香味出來。將酸菜撥開到鍋四邊，鍋中間空出下油，放入薑末爆香，再把酸菜混入拌炒，要不停地拌炒約2分鐘。先從鍋邊下1大匙的醬油略炒後，放入半匙的糖及辣椒（不吃辣的人可不放），拌炒均勻後即可起鍋。

紅燒豆包步驟：

1. 煎豆包：以不沾鍋煎最好，如果沒有不沾鍋，炒鍋中入油，油熱後放入豆包，待豆包煎酥後才可翻面。

2. 將鍋中多餘的油倒出後，倒入1大匙醬油及水（水的量淹過豆包），滾開後用中小火煮，煮至湯汁收乾即可盛出。

吃法：

割包若是冷凍的，不需事先退冰，待食用時，直接放入電鍋蒸即可。蒸熱後包入酸菜、豆包，並隨意加入花生粉、香菜即可食用。

叮嚀：

1. 炒酸菜需油多，如果油太少，酸菜口感會過於乾澀就不好吃了。

   基本上，炒酸菜時，要讓每一個酸菜都均勻沾到油。

2. 紅燒食物時，因品牌不同，醬油的鹹度亦各不同，若太鹹時，可酌量加一點糖。

馬鈴薯泥

材料：馬鈴薯大顆1顆

調味料：

海苔粉適量、鹽1大匙

步驟：

1.將馬鈴薯去皮，切片，放入電鍋蒸熟。

2.蒸熟後，趁熱壓製成泥並放入適量鹽攪拌均勻後，分成小團，灑上海苔
粉即可。

變化：

1.可做甜酸醬汁淋上。醬汁作法：鍋中入醬油1大匙、糖1匙煮開後，倒入
少許烏醋攪拌後即可熄火(醬汁口味請視個人喜好調整)。

2.沒有海苔粉，亦可用黑胡椒粉。如果家中有素食奶油，可在蒸熟後趁熱
與鹽一同拌入。

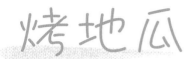

烤地瓜

材料：中小型地瓜

步驟：

1.將外皮泥沙洗淨，不要削皮，用電鍋蒸，外鍋放一杯水，電鍋跳起後
　燜10分鐘。

2.烤網上鋪鋁箔紙，地瓜擦乾後分散放在上面，入烤箱。

3.烤箱溫度用250度，烤30分鐘。

4.烤箱關火，將蓋子打開10秒鐘散水氣，將蓋子蓋上，不開火用烤箱餘溫燜20分鐘。

5.烤箱再用250度烤20分鐘，然後重複步驟4.及5.三次，檢視地瓜表皮收水，呈現乾爽狀態，即完成烤地瓜。（烤箱開火時間一共是90分鐘）

叮嚀：

1.烤地瓜最好放在網架上，以便散熱均勻。因為地瓜遇熱時會流出汁液，滴到烤盤就不易清理，所以在網上要鋪錫箔紙。

2.另一種簡單的烤法，洗淨後直接放入烤箱用250度烤約90分鐘，但是烤箱中要放一碗水。烤完後等半小時後再取出，因為烤箱餘溫會將地瓜收水，增加Q度。

3.烘烤時間會因地瓜大小而有所不同，所以要留意。

4.建議一次多烤一些，可以放在冰箱冷藏，等吃的時候，直接放在電鍋內，不加水方式加熱即可。

煎水餃

材料：水餃

步驟：

1. 平底鍋中加油，將水餃擺入鍋中煎熟即可。
2. 如果是冷凍水餃，建議先煮熟放冷後再煎，否則直接下鍋煎，皮會有點硬。

這是處理吃剩水餃最好吃，也最簡單的方法。

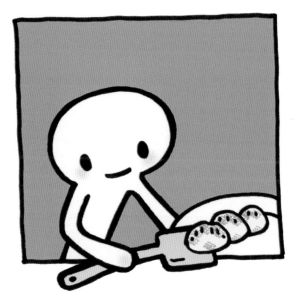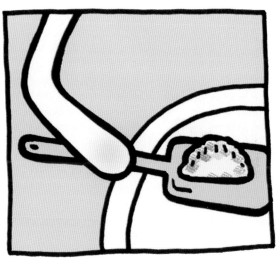

冰花水餃

另一種加入麵粉水的煎餃，叫做冰花水餃，其步驟如下：

1. 將麵粉和水以1：9的比例拌勻，調成一碗的量。
2. 油均勻地抹在平底鍋上。等油熱了，再擺入水餃略煎1分鐘。
3. 把調好的麵粉水淋在鍋中水餃上，蓋上鍋蓋。
4. 等餃子皮變的有點透明，且鍋底的薄膜略焦即可。冷凍水餃要用小火煎20-25分鐘，中途可打開鍋蓋，看看是否已好。未冷凍的水餃或吃剩下的水餃，麵粉水約1/2-2/3杯，時間10-15分鐘。
5. 要起鍋前，用鍋鏟先把薄膜邊邊推一推，確定可以推開就表示水份已收乾，水餃就可以起鍋囉。

叮嚀：

冰花水餃在煎的過程，只需要在中間檢查一次水分是否足夠，太乾時，再加些稀薄的麵粉水，不要一直掀鍋蓋，會讓煎餃變的太乾不好吃。擺水餃時，要留些空隙讓水餃膨脹。

蓮藕糯米

桂花蓮藕糯米

材料：蓮藕1條（約15公分長）、圓糯米1/3杯、冰糖半斤、桂花釀1大匙

步驟：

1.將糯米提前浸泡10個小時，然後瀝乾水份備用。

2.蓮藕洗淨去皮，切去一頭藕節留作蓋用，將泡好的糯米用筷子塞入藕孔中。

3. 糯米填至八分滿即可,米才有膨脹空間。

4. 將切掉的藕節蓋蓋上蓮藕,用牙籤固定。

5. 放入鍋中,加入冷開水淹沒過蓮藕,先用中大火,待沸騰後轉小火,煮4個小時。

6. 放入冰糖,仍然以小火開始蜜,約4小時,這期間要小心地拿夾子翻動一下,讓蓮藕受熱平均,才會入味一致。最後放桂花醬,再熬煮10分鐘即可。

變化:

1. 剩下的湯汁:加熱水喝就是蓮藕茶,煮酸梅湯就是桂花酸梅湯。

2. 如有多餘的糯米,與剩下的湯汁可以加點桂圓等煮成糯米甜粥。

3. 這道菜可以提前一天做好,放入冰箱,等吃的時候再拿出切片即可。

4. 如果不想花這麼多時間,另一種快速方式,就是糯米蓮藕蒸熟或煮熟後,切片盛盤;桂花釀及糖煮好,加太白粉勾芡後淋上即可,但口感是不一樣的。

秘訣:

1. 煮蓮藕時不要用鐵鍋,避免蓮藕變黑。

2. 將糯米填入蓮藕孔時,要用筷子捅結實,切片時糯米才不會散。

3. 待蓮藕涼後再切片,造型比較好看。

蘿蔔糕

可用電鍋蒸的--蘿蔔糕喔！

材料A：去皮白蘿蔔2斤、水550cc、油2湯匙

材料B：香油2湯匙

調味料：鹽18g（約半兩），可減至16g

糖37.5g（約1兩），可減至30g

白胡椒粉2g

粉漿：在來米粉300g、玉米粉112.5g（約3兩）、水600cc

準備：先將粉漿調勻備用。

步驟：

1.白蘿蔔刨絲。炒菜鍋內入油，轉中火，加入蘿蔔絲略炒，再加入調味料及550cc的水煮開。

2.轉中小火，將調勻的粉漿，慢慢倒入鍋內，必須一面倒一面攪拌；可使用麵粉桿攪拌，慢慢攪拌至透明濃稠時（此時粉漿已是不容易攪拌的情況）熄火。

3.不銹鋼容器抹上材料B的香油，將步驟2.鍋內材料倒入，在最上層用油抹平，然後放入電鍋內，外鍋加4杯半水（約600cc）蒸熟。電鍋跳起，等30分鐘後即可取出，等放涼以後才能切片。

蘿蔔糕蒸好後的成品。

蘿蔔糕蒸好從電鍋取出，等涼透就可以保鮮膜包起來放冰箱。

小秘訣：

1. 粉漿一定要調勻，不可有顆粒。
2. 刨蘿蔔絲時，蘿蔔絲要長一點，炒的時候，儘量不要炒斷，這樣吃蘿蔔糕時才有口感。
3. 蒸蘿蔔糕時，容器上要蓋上蓋子或盤子，防止電鍋蓋的水滴入。
4. 也可以把做好的材料用蒸籠蒸，蒸一個小時。

叮嚀：

蒸熟的蘿蔔糕不可放冷凍庫存放。冬天可冷藏一個星期左右。

看似簡單，卻十分難拍成好
吃模樣的三明治，幾經嘗
試，最後在切成小方塊後勉
強呈現出有點好吃的姿色。

此時有一法師站出來為三明
治喊冤；

芥末三明治

材料：土司、小黃瓜1條、高麗菜、沙拉醬、芥末醬

步驟：

1. 高麗菜、小黃瓜洗淨切小丁。

2. 沙拉醬與芥末醬攪拌均勻，芥末醬視個人加量，不喜歡的人
   加一點調味即可。

3. 步驟1.及2.混合攪拌均勻。

4. 土司切邊，抹上步驟3.沙拉，切成三角形即完成。

叮嚀：

1. 高麗菜因為要生吃，最好挑選有機及較新鮮的菜。

2. 夏天時，可前一兩天做好，放入冷凍庫，吃前5個小時退冰
   即可，清涼爽口，配上涼品，是夏天最好的消暑點心。

材料：

馬鈴薯2粒

紅蘿蔔半條

小黃瓜半條

玉米粒少許

芭樂半顆

蘋果半顆

鳳梨片2片

無蛋沙拉醬1包

水果沙拉三明治

步驟：

1. 馬鈴薯切片與紅蘿蔔一起放入電鍋蒸。

2. 蒸熟後趁熱將馬鈴薯壓成泥，加入沙拉醬攪拌均勻。

3. 蒸熟的紅蘿蔔，小黃瓜、芭樂、蘋果、鳳梨片切小丁，連同玉米
   粒與步驟2.的馬鈴薯沙拉混合。

4. 土司切邊，抹上沙拉，切成正方形即完成。

叮嚀：

1. 芭樂及鳳梨片是主要材料，鳳梨片要使用鳳梨罐頭的鳳梨片。

2. 沙拉醬要多一些，口感才不會乾乾的。

變化：

不加土司直接食用，可放一些乾果類、葡萄乾類的食材。

綠豆珊瑚湯

材料：綠豆1杯、龍眼乾1把、珊瑚草凍塊

步驟：

1. 珊瑚草凍塊，加水煮化，冷卻後放入冰箱，即成為珊瑚草凍。
2. 綠豆洗淨，加入水煮熟。煮熟熄火後加入龍眼乾。
3. 等綠豆湯冷卻後再加入珊瑚草凍。

叮嚀：

1. 龍眼乾不要煮，否則吃的時候就不甜了。
2. 市面賣的珊瑚草凍塊，本身是甜的，煮好可直接飲用；放在冰箱冰過後，即成果凍。珊瑚草凍要等綠豆冷卻後才能加入，否則會融化了。

變化：

可用年糕代替珊瑚草凍，即使是冷凍年糕也要等綠豆湯煮熟熄火後，才可放入。不可一起煮。

山粉圓百香果汁

材料：百香果原汁1杯、山粉圓1大湯匙

步驟：

1. 鍋中放入500cc的水，用小火慢慢煮，一邊放山粉圓，一邊用湯匙攪拌，攪到水煮沸就關火。
2. 等山粉圓涼了，加入百香果汁即可飲用。

叮嚀：

1. 市面上賣的百香果原汁是甜的，所以煮山粉圓時，不要再加糖。如果是用新鮮百香果汁，則視各人口味，可加一些糖。
2. 山粉圓會膨漲，不要加太多。

變化：

山粉圓可以羅勒子（又名小紫蘇或明列子）代替，羅勒子不用煮，只要用熱水泡就會膨脹。

蘋果醋
材料：
新鮮蘋果（最好是有機的）約1400公克，
米醋710cc兩瓶、黃冰糖900公克

容器：大的廣口玻璃瓶

水果醋

步驟：

1. 玻璃瓶洗乾淨，用熱開水燙過，晾乾備用。

2. 蘋果洗淨晾乾或用電風扇吹乾表面的水漬，每一蘋果切成8塊左右。

3. 蘋果切好，放入玻璃瓶中，放入冰糖，倒入米醋。蘋果、醋和冰糖的液體離瓶口約1公分左右，蓋上一層透明塑膠袋或保鮮膜，蓋上瓶蓋，旋緊，並在瓶蓋上貼上製作的日期，和三個月後的日期，放置三個月後即可把水果撈出來。

4. 把過濾的果醋裝入原來的米醋瓶子裡。喝的時候可以加冰水或直接加冰塊喝，就是很棒的果醋氣泡飲料囉！

叮嚀：

1. DIY的水果醋是以現成的醋浸泡新鮮水果一段時間，使水果的營養及風味與醋結合，做出不同口味的水果醋，因此所選用的醋不同，做出來的水果醋風味也會有所差別，最好選擇天然釀造的米醋，做出的水果醋口感最好。

2. 天然水果醋越陳越香，至少要經過3-4個月的釀造期才可以飲用，隨著釀造時間越長，水果醋的風味也會越來越好，大約經過1年是風味最好的時候，當然浸泡個3～5年再飲用，味道在濃郁度上會更有特色。如果要長期浸泡，記得不要經常開蓋，容易滋生細菌，一次釀好一大瓶時，最好能先分裝成小瓶飲用以減少接觸空氣的機會。

3. 大部分的水果都可以製作水果醋，例如鳳梨、柳丁、橘子、葡萄、番茄、龍眼、楊桃、金桔、李子…等，都是可以嘗試的好選擇，作法上也都大致相同，只要將水果清洗乾淨後擦乾或風乾，去皮或籽，大型的水果切片或塊，搭配上適當份量的醋和糖一起浸泡即可。糖的份量可以依自己的喜好調整，怕酸的話可以多放一點，不過相對的也會使水果醋的熱量提高。如果家裡正好有吃不完的水果時，其實就是釀醋的好時機，也可以利用當季盛產的水果，甜度高、價錢便宜，正好適合大量釀製。

小猿猴

明代開國功臣宋濂，是位虔誠佛教徒。其母夜夢僧，手書《華嚴經》，謂：「吾乃永明延壽，欲假一室，以終此卷。」醒濂誕生。眉目清秀，英敏強記，一目十行，學問淵博，精於內外典，為一代經師。他不僅遍閱佛經，且有相當修為，他曾深入禪定，「有巨鐘朝夕出大音聲，我未曾聞也」。宋濂自稱「盡閱三藏，灼見佛言不虛，誓以文辭為佛事」。

宋濂《潛溪集》內有一則故事：
在中國大陸福建武平，以出產猿猴而聞名全國；該處的猿猴身上的毛，如金絲般，閃閃發光，非常好看，又名金絲猿。

小猿猴長得更是好看，性情又溫馴，但總是不離開母猿猴的懷抱。母猿猴則是靈巧精明，因此，想要捉小猿猴，是很不容易的事。獵人用盡各種方法，總是無功而返，最後，心生一計，將毒藥塗在箭頭上，埋伏在金絲猿出沒處，趁母猿猴疏忽時，用毒箭射牠。

母猿被毒箭射中後，知道自己活不多久了，就把剩餘的奶汁灑在樹林裡給小猿吃，

奶汁灑完，氣也就斷了。

獵人殺死母猿猴後，便取下母猿猴的皮，當著小猿猴的面前踐踏鞭打。小猿猴見狀，就悲啼不止，最後，邊啼邊從樹上爬下來，縮著手腳，任由獵人綁捉。

每天晚上，小猿猴一定要睡在母猿的皮上，才能安然而眠；
有的甚至抱著母猿猴的皮，悲痛地跳擲著，直到力竭而死。

唉！連那些小猿猴都知道母親的可貴，在母猿猴死後，因不忍母親皮毛被踐踏而不顧自己的生死束手就擒，何況我們人呢？

你仔細研究，殺豬的人，他的眼睛像豬。為什麼？他曾經被人殺了好多次，現在他回來報仇了，但眼睛還是豬眼睛；宰牛的人，眼睛像牛眼睛。其實因果是絲毫不爽的，所以說：「千百年來碗裏羹，怨深似海恨難平，欲知世上刀兵劫，細聽屠門夜半聲。」一碗肉湯裏邊含藏的怨恨，像海那樣深，說不盡的。要知道世上為何有戰爭、殺戮，譬如兩國彼此戰鬥，死傷連城，這就是眾生的惡業共聚，同時受報。

目前科學已經研究出來，人多吃肉，很容易生癌症。這是因為動物體上的怨，在你身上積聚多了，久而久之便變成害人的毒素。因此我們應該與眾生斷絕因果，不要與牛羊雞犬互造罪孽，便能慢慢地把世界上的惡氣轉過來。

————宣化上人

吃素比較安全ㄟ

幸福小菜

很熱的夏天　讓你開心的菜...

62. 涼粉小黃瓜　　72. 山苦瓜

64. 涼拌木耳　　74. 豆豉蘿蔔乾

66. 寒天　　76. 黃豆梅乾菜

68. 海苔干條　　78. 烏梅小番茄

70. 黃金泡菜

涼粉小黃瓜

材料：

綠豆涼粉皮1片

小黃瓜2條

嫩薑絲少許

調味料：

鹽1茶匙

白醋1大匙

糖1茶匙

步驟：

1. 綠豆涼粉皮洗淨後切塊備用。醋及糖先拌勻至糖完全溶化備用。

2. 小黃瓜洗淨，切成三公分長度，用刀稍微用力拍小黃瓜，使其自行裂開。

3. 灑上鹽抓一抓，放置一旁，約30分鐘後將生出的水倒掉，加入綠豆粉皮、薑絲，及調好的調味料攪拌均勻即可。

變化：另一種調味料：芝麻醬、醋、醬油、糖及少許水攪拌均勻後淋上即可。

叮嚀：如果買不到新鮮的綠豆涼粉皮，可買乾燥的。有的綠豆涼粉做得像豆腐塊，也是一樣的用法。

涼拌木耳

材　料：新鮮黑木耳半斤

調味料：香油、黑醋、白醋、糖、素蠔油或醬油膏適量

步驟：

1. 黑木耳洗淨，放入滾水中汆燙一分鐘後撈起，放入冰水中降溫。

2. 黑木耳瀝乾撕成小塊（撕的比切的口感好），將調味料一起拌入黑木耳中。調味料視個人喜愛酸甜度調配。

變化：依個人喜好，可隨意加入嫩薑絲、香菜末、辣椒絲。

叮嚀：如果喜歡這道菜，可以一次多做一些放入冰箱，拿出來即可食用。
在夏天，這道冰涼又酸甜的菜，可以幫大家開開胃。

註：乾的黑木耳也可以，只是比較硬。

寒天

材料：寒天脆藻、小黃瓜、紅椒、黃椒

調味料：糖、白醋、鹽

步驟：

1. 將寒天脆藻以冷開水沖洗打散、切段。
2. 小黃瓜切細備用（用切的較不易出水，口感佳）、紅蘿蔔刨細絲。
3. 將寒天脆藻、小黃瓜、紅蘿蔔置入盤中混合，再加入調味料調勻即可。

變化：寒天還可以加到手捲或壽司、沙拉和湯品以及各式甜點飲料。

註：寒天脆藻在超市、大賣場、有機商店均有售；寒天呈透明狀像煮過的冬粉。

海苔干條

材料：

乾豆皮1張
（又名腐皮）
海苔片2張
麵粉半杯
水適量
芝麻少許

調味料：

素蠔油
水
糖
黑醋

步驟：

1.麵粉及水調成麵糊，要濃稠狀。

2.豆皮攤開，將麵糊水均勻刷在豆皮中間，第一張海苔片貼在刷麵糊水的範圍上。

3.在海苔片上再刷上一層麵糊，貼上第二張海苔片，然後再刷上一層麵糊。用旁邊的豆皮將海苔片包起來，並用手在表面壓一壓，使其平整。放在平盤上，放入冰箱冷凍庫冷凍。

4.冰箱取出後，不要退冰，用刀切成1公分寬的小片狀，入油鍋炸至金黃色撈起備用。

5.鍋中油倒出來，倒入素蠔油、水、糖及黑醋煮至濃稠狀即可關火。將炸好的素片倒入鍋中與醬汁拌勻，灑入芝麻即可盛出。冷卻後更酥香。

變化：可與花生米及香菜搭配，又是另一種口感。如果買不到乾豆皮，可用新鮮豆包代替，但是海苔片要改在外層，豆包在裏面。切成小片後，要裹上薄薄一層太白粉後再下鍋炸。

叮嚀：調味醬可視個人口味調整。

黃金泡菜

材　　料：高麗菜300公克

調味料：甜豆腐乳300公克、紅蘿蔔1小根、白糖2大匙

　　　　白醋60cc、水300公克

　　　　紅辣椒1根

步驟：

1. 將高麗菜切片放入盆中，將一大匙鹽灑在菜上，用手大力拌勻，放1-3小時待其自然出水，將鹽水倒掉，用冷開水沖洗，將水分擠乾。

2. 先將紅蘿蔔及辣椒切小塊與調味料（豆腐乳除外）放入果汁機或調理機打細後，再放入豆腐乳打均勻，即可倒入擠乾的高麗菜中攪拌。

3. 先在室溫下放一天發酵，然後就可以裝瓶密封，醬汁要超過菜，放在冰箱冷藏，視個人對高麗菜的軟脆度，約2-3天後即可食用。

叮嚀：做泡菜過程，容器及食材不要碰到生水。
　　　醬汁的口味可視個人喜愛調整酸甜辣度。
　　　如果家中只有辣豆腐乳，則材料就不需要辣椒或減量。

秘訣：如果家中有酵素，可加入一大匙的酵素，醬汁的味道更為融合，高麗菜也會比較軟。吃剩的湯汁可加臭豆腐或豆腐去燉。

山苦瓜

材料：

山苦瓜1條

嫩薑絲少許

調味方式：

吃法一：

梅汁、糖

吃法二：

百香果

吃法三：

白醋、糖、酸梅

深綠色的山苦瓜
保肝退火，配上
糖醋梅汁能補給
纖維質、開胃、
助消化，是夏天
消解疲勞的開胃
菜。

步驟：

1. 苦瓜洗淨切半，將籽及白膜刮掉。

2. 將苦瓜切薄片，灑一匙鹽，用手拌均勻，約3分鐘後用礦泉水略沖洗，平均放入三個容器。（也可以用熱水汆燙一下起鍋，立即泡冷水，代替泡鹽方式）

3. 吃法三的白醋及糖先煮開放冷備用。

4. 吃法一：梅汁的量要醃過苦瓜片，視梅汁的酸度而加糖，蓋起來收到冰箱冷藏，隔天即可食用。如果不吃苦味的，要等苦瓜顏色變成黑色時再食用。

5. 吃法二：新鮮百香果汁的量要醃過苦瓜片，蓋好放置冰箱冷藏，隔天即可食用。

6. 吃法三：醋糖水加10粒白酸梅，泡苦瓜片，蓋好放入冰箱冷藏，至少要醃5天。

叮嚀：

1. 苦瓜一定要去掉白膜，不然會很苦。切片時，要越薄越好。苦瓜醃越久，會越軟越好吃，也越不會有苦味。

2. 梅汁可用各式梅汁（脆梅、紫蘇梅或烏梅）；百香果汁是用有顆粒的原汁；這些果汁必須都是原汁，不可用稀釋過的果汁代替。

3. 醃過的果汁，建議不再重覆醃泡，可以加水稀釋喝。

豆豉蘿蔔乾

材料：

蘿蔔乾、豆豉、辣椒、糖

步驟：

1.蘿蔔乾過水瀝乾備用，用乾鍋炒香，約3-5分鐘即可起
　鍋。

2.鍋中放入適量的油，小火爆香辣椒末，再將豆豉放入
　鍋中，炒到香味出來

3.放入蘿蔔乾及適量的糖繼續炒1-2分鐘後，加入少許香
　油即可起鍋。

黃豆梅乾菜

材料：

有機黃豆1杯、梅乾菜1顆

調味料：醬油1大匙、八角2粒、糖1小匙、鹽1小匙

　　　　甜麵醬1大匙、豆瓣醬1大匙

步驟：

1. 黃豆、梅乾菜洗淨，充分浸泡一晚上。

2. 梅乾菜切碎備用。

3. 鍋內放入少許油，加入黃豆及八角翻炒4分鐘左右。再加入梅乾菜
   繼續翻炒，同時加入水，水量要淹過黃豆，此時加入甜麵醬、豆瓣
   醬、醬油、鹽、糖燜煮約半個小時，收乾湯汁，即可盛盤食用。

叮嚀：泡黃豆時，水位要高於黃豆的一倍。

烏梅小番茄

材料：小番茄1斤　　　調味料：糖60公克、白醋60公克、烏梅醬80公克

步驟：

1. 將三種調味料一同煮均勻至沸，熄火放涼。

2. 小番茄洗淨。烤箱用高溫預熱5分鐘左右，放入小番茄，烤到外皮裂開即可取出，然後將外皮剝掉。

3. 將剝好外皮的小番茄放入醬汁中，泡醃一晚即可食用。

叮嚀：

1. 各廠牌醋及醬之甜酸度不同，醬汁視個人喜好調整。

2. 如果買不到烏梅醬，可自製。作法如下：

材料：去核烏梅蜜餞130公克，細砂糖150公克，水100CC，果糖60公克。

作法：將烏梅蜜餞切成小丁，與水、果糖、細砂糖一起倒入鍋中，邊煮邊攪拌到砂糖溶化。等鍋中的醬汁滾沸時，再以小火煮約5分鐘，略收湯汁即可熄火，完全冷卻後會成濃稠醬汁。

牠的母愛不會比人少！

據國外媒體報導，在滿是灰塵並危險重重的印度新德里街頭，猴子媽媽上演驚險的犬口救子記，彰顯偉大母愛。猴媽媽的感人行為無疑是在告訴世人，無論面臨怎樣的情況，發生怎樣的事情，母子間的紐帶永遠牢不可破，任何人也別想將他們拆散。

在印度首都新德里的街頭，人們經常能夠看到猴子撿東西吃的景象。當日，這隻小猴子不幸被一輛快速穿過的機車撞傷，隨後又被附近遊蕩的一條野狗發現。就在猴寶寶即將葬身犬口時，猴媽媽勇敢地衝了上去，與野狗廝打

在一起，牠跳上野狗的背，瘋狂地撕咬對方直至將其趕跑。

在動物世界，母子之間的紐帶牢不可破，甚至達到令人無法想像的程度。這隻印度小猴的遭遇再一次說明，母愛這種動物天生的本能，即使在遠離天然棲息地的環境下也不會喪失。看到猴媽媽與野狗廝打在一起，現場的旁觀者無不投以驚訝的目光。野狗最終意識到自己無法打敗強大的母愛，只能選擇離開，受傷的小猴得以重回母親懷抱。

整個過程碰巧被經過的一位攝影師拍了下來，隨後又將照片發到網上。母猴對孩子的愛會比人類少嗎？

• 圖／英國《每日郵報》

現在全世界的人類，都有很大的脾氣。不管哪個國家的人民，都沒有修養的功夫，差不多都有阿修羅的思想，成為鬥爭專家，一天到晚在想，如何鬥爭得勝利。因為這個關係，所以殺氣瀰漫三千大千世界。在虛空中充滿戾氣（毒素），令人生出奇奇怪怪的絕症。

殺業太重的後果，形成天災人禍的因素。或者地震，或者海嘯，或者奇寒，或者奇熱，乃至風不調雨不順，國不泰民不安的現象也為常見。

——宣化上人

84. 山蘇炒豆干

86. 油條絲瓜

88. 沙茶芥蘭菜

90. 香酥秀珍菇

92. 炸麵腸

94. 糯米條

96. 滷苦瓜

98. 涼拌洋菇

100. 炒米苔目

102. 咖哩炒飯

104. 長豆飯

106. 絲瓜稀飯

108. 簡單的一餐

110. 田園蔬菜湯

蔬食料理

山蘇炒豆干

材料：山蘇半斤、豆乾2片

調味料：鹽1茶匙、醬油1茶匙

步驟：

1. 山蘇的硬梗要摘除掉，洗淨後汆燙，過冷水備用。

2. 豆乾切細條，鍋中放一大匙油，油熱後放入豆乾絲，炒到略黃後倒入醬油，拌炒一下即盛出備用。

3. 鍋中入少許油，等油熱快炒山蘇，加入鹽即可熄火，拌入炒好的豆乾即可盛盤。

叮嚀：山蘇有一點澀味，所以汆燙時，水中加一點鹽。燙菜水中加一點小蘇打粉，可保持菜的綠色，菜也容易軟。

變化：可以用豆豉或樹子（瓶裝有湯汁）代替豆乾，豆豉/樹子本身是鹹的，炒山蘇時，就可不要再加鹽。

油條絲瓜

材　　料：絲瓜1條、油條1條
調味料：油及鹽少許、水150cc

步驟：

1. 先將絲瓜削皮切成長條，油條切小塊。

2. 絲瓜用油略炒後，再加入水燜煮，燜煮時間視各人喜好的軟脆度而定。

3. 起鍋前，拌入鹽及油條即可盛盤。

叮嚀：

1. 絲瓜切長條，可使絲瓜看到綠色的部分比較多。

2. 放油條的作用，是吸多的湯汁，所以等起鍋前再放入油條即可。又油條已有鹹味，不要放太多的鹽。

知識：

絲瓜原產於印度和亞洲熱帶，2000年前傳入中國，300年前台灣亦已栽植。絲瓜可清熱化痰、涼血解毒、生津止渴、清腫解毒、袪暑清心、美白護膚、防癌及衰老，可謂好處多多。絲瓜買回後，不削皮置於陰涼通風處，約可保存一週左右，若放於冰箱則需用報紙包裝加塑膠袋包好，以防水份流失及老化。

沙茶芥蘭菜

材　料：芥蘭菜半斤、煎好的香菇頭少許
調味料：沙茶醬1大匙

步驟：

1. 煎好的香菇頭切絲備用。

2. 芥蘭菜洗淨切小段，先汆燙備用（燙菜時，鍋中放點小蘇打粉，可保持菜的青綠色）。

3. 鍋熱後，先放入沙茶醬，最好要含沙茶醬上層的油，將燙好的芥蘭菜入鍋快炒，倒入香菇頭絲拌炒後即可取出盛盤。

煎香菇頭：

材料：香菇頭250公克、素沙茶醬2大匙、醬油膏半匙、香油1小匙、白胡椒粉1小匙

1. 香菇頭先泡軟，抓乾水份，放入塑膠袋內拍扁。拍扁後再用濾網將水份擠乾。

2. 調味料倒入盆內攪拌均勻後，將擠乾的香菇頭放入浸泡約2小時。

3. 熱油鍋，將泡好的香菇頭，放入鍋中鋪平，不可重疊，用中火煎熟到金黃色即可起鍋盛入盤中，滴入少許檸檬汁即可食用。

4. 煎好的香菇頭可以儲藏在冷凍庫，以便搭配炒菜或做水餃餡等。

香酥秀珍菇

材料：秀珍菇半斤、九層塔少許

調味料：地瓜粉6大匙、麵粉2大匙、水50cc

步驟：

1. 秀珍菇汆燙，濾乾水分。九層塔洗淨，濾乾水分。
2. 混合水、地瓜粉及麵粉，秀珍菇沾粉入油鍋，用中火(160度)炸至金黃色撈起備用。
3. 等吃的時候，將秀珍菇回鍋再炸一次(油溫180度)撈起，九層塔下鍋略炸即可撈起。灑上適量的胡椒鹽粉即可食用。

叮嚀：

油炸物在起鍋前，把火開大一點，可使油炸物酥脆，且較不易含大量油在食材上。

炸麵腸

材料：麵筋條(麵腸)3條
調味料：沙茶醬2大匙、醬油2大匙、地瓜粉半碗、胡椒鹽適量

步驟：

1. 麵筋條洗淨，直切不切斷。沙茶醬及醬油攪拌均勻，平均抹在麵筋條兩面，用牙籤橫叉，使其撐開。將剩下的醬汁抹或倒在麵筋條上，放入冰箱醃放一天，使其入味。

2. 油入炸鍋待熱，將步驟1.的麵筋條兩面沾地瓜粉，用中小火炸成金黃色，起鍋前大火一點，撈起，瀝乾油份，取出牙籤，切斜片，排入盤中，灑上胡椒鹽即完成。

叮嚀：麵筋條要先醃入味，如果前一天沒有醃製，當天至少要醃2小時。

變化：沙茶醬可以用香椿醬或紅麴醬代替。

步驟:

1. 腐皮用熱水泡軟。

2. 用腐皮將油飯包起來,因為腐皮很薄,要捲兩層。

3. 將包好的糯米條蒸熟後盛盤,淋上甜辣醬、花生粉、酸菜即可食用。

變化:

1. 糯米條蒸熟後取出放涼,切成4至5片。每片裹上地瓜粉,放入油鍋煎,兩面煎成金黃色即可盛盤,淋上甜辣醬即可食用。

2. 油飯也可以用粽子代替。

3. 如果家中沒有腐皮,可以海苔片或新鮮豆包代替。

註:這道菜的特色是───將家中剩餘的油飯或粽子,以此方式來變化處理。

糯米條

材料：油飯兩碗、腐皮2張、酸菜

調味料：甜辣醬、花生粉

滷苦瓜

材　料：白玉苦瓜1條

調味料：醬油2大匙、糖2大匙

步驟：

1. 苦瓜洗淨去蒂，切成3-4大塊。

2. 鍋中放1大匙油煎苦瓜，煎到苦瓜有點軟，倒入醬油略炒後加水及糖，水要淹過苦瓜，大火煮開後，蓋鍋蓋用小火慢慢煮，煮到苦瓜完全軟，大約需要1-2小時。如果苦瓜已經軟了，鍋中仍有許多湯汁，可以掀蓋開大火煮至收乾湯汁。

叮嚀：

1. 煎苦瓜要有耐性，如果時間不夠，可以用油炸或多放一些油。炸好後，將多餘的油倒出來。

2. 這道苦瓜吃起來是甜甜鹹鹹的，所以大火煮開後，先嚐鍋中湯汁的味道，視個人喜好增添醬油或糖。剩下的湯汁拌飯也很好吃喔！

涼拌洋菇

材　　料：洋菇1斤、黃/紅甜椒適量、小黃瓜1條

調味料：素高湯2大匙、粗粒黑胡椒、橄欖油少許

步驟：

1. 先將洋菇汆燙，視洋菇大小切成四瓣或兩瓣。

2. 小黃瓜、黃/紅甜椒切小丁汆燙，過冷水後混入切好的洋菇。

3. 拌入素高湯，及黑胡椒粒，調拌均勻後，再加入橄欖油。

4. 蓋好放入冰箱，等用餐時再取出即可。

叮嚀：

橄欖油不要太早拌入，以免洋菇等材料不入味。

知識：

洋菇熱量低、性溫和、具有消暑、健胃和平肝的功能，並有助於消除膽固醇、降血壓的功效。洋菇非常不耐儲存，即使買回來立即冷藏或冷凍，蕈摺內部還是會變黑色，最好當日食用。洋菇洗淨後在清水中浸泡，水能隔絕空氣，緩和蘑菇氧化速度。注意不可用鐵質容器或含鐵質量高的水浸泡，否則鮮蘑菇色澤會變成黑色，味道也較不好。

炒米苔目

食材：

米苔目半斤（免洗，避免相黏）、乾香菇4朵（先泡水）、黑木耳1
片、紅蘿蔔半根、香菜少許

調味料：

醬油1大匙、香油1匙、烏醋半匙

做法：

1.乾香菇泡軟切絲、黑木耳、紅蘿蔔切絲、香菜切小段。

2.鍋入1大匙油，爆香菇、炒到香菇香味出來，加入紅蘿蔔、木
   耳，炒軟後，醬油從鍋子四邊加入，再加入泡香菇湯水及少許
   水一起翻勻煮開，再放入米苔目翻炒均勻，起鍋前再加入黑醋
   拌勻，灑上香菜即可盛盤。

咖哩炒飯

材料：飯3碗、紅蘿蔔少許、新鮮巴西利少許、松子1大匙。

調味料：油2大匙、鹽1大匙、咖哩粉1大匙、鬱金香粉1茶匙、黑胡椒粉少許

步驟：

1. 炒飯最好是用隔夜的剩飯。如果當天煮飯，水的量要比平時的量少一點。飯煮好後放涼，然後攪拌一下，讓飯呈現鬆散的狀態。
2. 紅蘿蔔切小丁，巴西利切末備用。
3. 油熱後先將松子過油，立即將松子撈起放涼。然後放入紅蘿蔔炒熟後，再下咖哩粉及鬱金香粉。咖哩粉炒香後，關小火，再放入飯，慢慢拌炒到完全均勻，起鍋前再放入鹽、巴西利末、松子攪拌均勻即完成咖哩炒飯。

叮嚀：1. 炒飯時要用小火慢慢拌炒，一方面口感會QQ，二方面飯不會沾鍋。
　　　2. 松子過熱油時，不可等變黃才撈起，松子會因油溫過高變成焦黑。

變化：

1. 材料可視個人喜好，或家中現有材料。鬱金香粉的作用是讓炒飯顏色看起來較漂亮。
2. 新鮮巴西利比較不好買，可以用乾的巴西利粉末代替。

長豆飯

材料：長豆10條、乾香菇10朵、素絲少許、香椿末少許、米2杯

調味料：鹽、醬油、糖、白胡椒粉皆適量

步驟：

1. 長豆洗淨切斷備用，乾香菇泡軟切絲。

2. 素絲洗淨泡軟，擠掉水份，加入醬油及少許糖及白胡椒粉略醃15分鐘。

3. 用少許油炒香菇，待香味出來後，加入素絲及長豆，炒到沒有水分即可加香椿末。

4. 白米洗淨放入鍋中，加入所有材料、鹽及水。水的份量要比平時煮飯水量多加1/4杯。按下電鍋電源開始煮飯。

5. 待菜飯煮熟後，在電鍋中燜約10分鐘即可食用。

絲瓜稀飯

材料：飯2碗、絲瓜 1 條、花菇四朵、芹菜 1 根、生薑 1 小塊

調味料：

鹽、黑胡椒粉、白胡椒粉

步驟：

1.香菇泡軟後切片備用，芹菜及薑切末，絲瓜削皮切片。

2.將薑末及香菇片爆香後，加入絲瓜略炒，加一碗水及白胡椒粉爛熟。

3.等絲瓜熟了，將白飯加入滾一下，灑上黑胡椒粉及芹菜末即可熄火。

叮嚀：

1.如果沒有剩飯，用米煮，則水要多放一點，水量視個人對稀飯的濃稠度而訂。

2.花菇比一般香菇厚，要泡水久一點才會軟，或者前一天晚上洗乾淨放著即可。

簡單的一餐

材　料：雪裡紅半斤、新鮮豆包1片、香菇1朵、紅蘿蔔少許
調味料：醬油膏、鹽1茶匙

步驟：

1.雪裡紅、紅蘿蔔、香菇、辣椒洗淨泡軟後，切丁。

2.豆包用油煎到金黃色後取出，切小塊。

3.利用煎過豆包的油鍋，將香菇炒香後，放入雪裡紅及紅蘿蔔丁炒熟，加入步驟2.豆包及醬油膏攪拌均勻，即可盛盤。

變化：

可以用豆乾或花生米（油炸的或五香皆可）代替豆包。花生米要等雪裡紅炒好盛盤才灑在上面，否則花生米會軟掉。

田園蔬菜湯

材料：番茄3個、馬鈴薯2個、高麗菜半顆、洋菇1盒

調味料：鹽、黑胡椒粉、洋香菜、羅勒葉各適量、橄欖油少許

步驟：

1. 鍋中煮水待滾，番茄於末端劃十字，放入煮滾之鍋中，略燙即可取出剝皮，然後切成塊狀

2. 馬鈴薯削皮後切小丁，高麗菜洗淨後切小塊狀，洋菇洗淨每個切四塊。

3. 將所有材料和水一起放入鍋中用大火煮開，改小火煮約10分鐘至20分鐘，待馬鈴薯煮軟，番茄之茄紅素釋出即可。灑入調味料，最後加入橄欖油就完成了。

變化：

1. 馬鈴薯可事先煮熟，搗成馬鈴薯泥，加入適量的地瓜粉勾芡即可變成田園蔬菜濃湯。視個人口味可加入起士粉，更有西式濃湯的味道。

2. 相同的材料加入青豆仁可變成番茄燴飯或義大利麵。

母鴨救小鴨

選自溫哥華日報 2001年7月13日報導
Excerpted from the Vancouver Sun, July 13, 2001
王一丹 中譯 Translated into Chinese by Yidan Wang

不要對瑞·彼得森說「鳥腦（註：影射笨頭笨腦）」，因為這星期這件事發生以後，他再也不想聽了。彼得森是格蘭威爾市中心南區的社區警官。星期三早上，他在有1500個街段的格蘭威爾街（正對著格蘭威爾街橋下）行走，突然一隻鴨子走上前來，咬住了他的褲腳，在他的周圍搖搖擺擺，邊走邊嘎嘎叫著。

「我覺得鴨子有點怪怪的，所以把牠轟走了。」彼得森在受訪時說。但是這隻母鴨（他覺得是綠頭鴨）好似沒有那麼輕易放棄，母鴨知道彼得森還在看著，就搖搖擺擺走到前方大約20公尺處，在暴雨下水道口的鐵條蓋上躺下了。彼得森看著，但是什麼也沒有想到。

「但我準備走開時，母鴨重複了上次的動作，又圍著我跑著，再次咬住我的褲管。」這回彼得森知道一定發生了什麼事，所以母鴨搖搖擺擺要再去下水道時，彼得森決定跟去看個究竟。

「我去了剛才母鴨躺下的地方，看見八隻鴨寶寶在下水道中，是從下水道口的鐵條蓋縫隙掉下去的。」彼得森馬上採取行動，打電話給他的上司藍迪・凱蘭斯警官。藍迪・凱蘭斯警官到達現場時，又聯繫了二位巡警。「二位巡警來時，母鴨繞著他們，搖搖擺擺地走，嘎嘎叫著，然後就在鐵條蓋上躺下。」彼得森說。凱蘭斯從鐵條蓋向下察看時，母鴨坐在人行道的水泥鑲邊上觀看著。二位巡警約翰・史其林和艾理森・赫爾調來拖車，拉起鐵條蓋，用蔬菜濾水籃把八隻鴨寶寶一隻一隻救起來。

「我們救鴨寶寶時，鴨媽媽就蹲在那裏一直觀看著。」彼得森說。鴨媽媽看見孩子都得救了，就重整隊伍，帶領鴨寶寶向人造小溪走去，然後跳下水。凱蘭斯跟過去，以確保安全，不過他只留在岸上觀察。

這次的經歷，改變了彼得森對鴨子的看法，他覺得鴨子比他想像的聰明多了。雖然他從未吃過鴨肉，他說現在做夢也不會想要吃鴨肉了。

眷村菜

大江南北 懷念的眷村滋味...

116. 鹹豆漿
118. 香椿餅捲黃瓜
120. 炒土豆絲
122. 外省糖醋
124. 白菜包饊子

126. 豆豉糖醋羊角椒
128. 泡白菜
130. 粉蒸馬鈴薯
132. 餛飩湯
134. 紅油抄手

鹹豆漿

小時候常常站在
汽油桶做成的碳火烤爐前
缸裡燒炭火，缸熱後，就把燒餅貼在缸壁四周烘烤
看著老闆把一塊塊烤熟的燒餅
用夾子夾出來
熱熱的燒餅配上一碗鹹豆漿...

材料：清漿(不甜的豆漿)1碗、油條半條、芹菜末及榨菜少許

調味料：醬油1茶匙、白醋、香油、辣油

步驟：

1. 榨菜洗淨切細絲備用，油條切塊狀。
2. 在碗中先放入榨菜絲及醬油，豆漿煮滾後倒入碗中，這時慢慢倒入醋，一邊倒醋一邊攪拌，看到豆漿變成豆渣狀時即完成，喜歡吃酸味重的人，可再加醋。
3. 放入油條、芹菜末、香油、辣油（如果不吃辣，不需加入辣油）即可食用。

變化：

可以用菜脯代替榨菜，或者多加菜脯(蘿蔔乾)一起食用（菜脯要切碎末）。

叮嚀：

豆漿濃度要夠濃，也一定要煮滾才倒入碗中。

香椿餅捲黃瓜

材料：抓餅、小黃瓜、甜麵醬

事先準備：

將小黃瓜切細條，按照《菜根飄香》食譜的糖醋泡菜做法，先將小黃瓜醃泡一天備用。（最簡單方法：買壽司醋直接醃泡亦可。）。

步驟：

1. 如果是冷凍抓餅不要退冰，平底鍋中放油，等鍋熱直接放入鍋中煎熟即可。
2. 在餅皮上抹上一層薄薄的甜麵醬，放入小黃瓜，捲起來即完成。
3. 可以在COSTCO購買「墨西哥餅皮」代替。

叮嚀：煎抓餅要有耐心，用中小火慢慢煎到酥才翻面。
　　　起鍋前，要拿鍋鏟從餅旁邊往中間把餅擠鬆。

炒土豆絲

材料：馬鈴薯（土豆）2顆

調味料：油2大匙、鹽、黑胡椒粉

步驟：

1.將馬鈴薯去皮，切細絲，泡冷水30分鐘後瀝乾備用。

2.油熱後，放入馬鈴薯絲用中小火慢慢炒，炒至顏色透明，加鹽及黑胡椒粉拌勻，即可熄火盛盤。

變化：

1.喜歡辣味的，油鍋先將乾辣椒炒香，再加入馬鈴薯絲炒。

2.現在市面有售麻辣花生米，亦可盛盤後拌入。

外省糖醋

材料：素粒約20粒、馬鈴薯1顆

調味料：

麵粉或地瓜粉少許、醬油2大匙、糖2大匙、鎮江黑醋(素食烏醋)2大匙

步驟：

1. 素粒泡軟，擠乾水份，倒入少許醬油拌勻。素粒裹粉入油鍋炸至金黃色撈出備用。

2. 馬鈴薯切與素粒同樣大小，入油鍋炸熟撈出。

3. 鍋中剩下的油倒出來，放入炸好的素粒及馬鈴薯，加入醬油、糖、醋，小火慢慢拌炒，同時嚐試醬汁味道，調整調味料的量。等到糖的黏性出來，素粒及馬鈴薯好像勾芡似的，即可熄火起鍋。

變化：材料可視個人喜好變化，例如油條、山藥。

白菜包餛子

材　料：大白菜葉4片、餛子4片
調味料：醬油膏

步驟：

1. 將大白菜洗淨，燙軟。

2. 將饊子放在白菜上，淋上醬油膏，包起來即可食用。

叮嚀：這道菜是要吃饊子的酥脆，所以等要吃的時候再包。

變化：用荷葉餅包起來吃，不會有油膩感，反而是香酥脆口感。

知識：

饊子是中國北方一種油炸麵食，類似油條的東西，可以直接食用，也可以變化入菜。不少地區都有製作，例如山西洪洞、山東濟南、河南西平、江蘇淮安、湖南長沙、四川開江，西北地區的回族，一般過年時家家都要預備饊子。

豆豉糖醋羊角椒

材　　料：羊角椒（青色）1斤、豆豉1大匙（乾的或濕的皆可）

調味料：薑片5片、糖1匙、素食黑醋2匙、醬油1匙

1.羊角椒洗淨去蒂，瀝乾水分。

2.鍋燒熱，放入羊角椒用小火慢慢乾煸，約10分鐘，羊角椒軟後盛出。

3.鍋內放入少許油，放入薑片爆香後，將煸好的羊角椒放入一起略炒，次第加入豆豉、糖、黑醋、醬油及水，水的量不要蓋過羊角椒（調味料視豆豉及個人口味自行增減）。用中火慢慢煮，直到羊角椒完全軟，鍋內只剩下一點湯汁，即可盛出。

叮嚀：

羊角椒乾煸的步驟不可省略，因為經過乾煸後，才不會有辣椒的生味；又火不可太大，否則會燒焦。

知識：

挑選辣椒時，要挑選飽滿的。羊角椒基本是不辣的辣椒，但有時會辣，所以不吃辣的人在挑選時，要選尖頭部分不要太尖的。

泡白菜

材料：大白菜1顆、香菜適量、辣椒

調味料：鹽2茶匙、糖1大匙、醬油1大匙、素食烏醋2大匙、香油適量

步驟：

1. 大白菜洗淨後，瀝乾水份切塊。

2. 放入鹽用手抓一抓，等出水後，將水倒掉。依序加入糖、醬油、烏醋、辣椒，醃製約1-2小時入味後，即可食用。（辣椒請視個人喜好加入。）

變化：

1. 可加入豆乾絲或香菜絲。

2. 剝下大白菜的外邊葉子炒或煮，只用白菜心去涼拌。

粉蒸馬鈴薯

材　　料：馬鈴薯3顆、粉蒸粉150克

調味料：醬油1大匙、水1大匙、油2大匙

步驟：

1. 馬鈴薯削皮切塊，入醬油及水醃一小時（醬油及水必須蓋過馬鈴薯），醃泡時愈久愈入味（最好前一天晚上醃泡）。

2. 粉蒸粉及油倒入鍋中混合均勻，再將醃好的馬鈴薯放入攪拌，每一塊馬鈴薯都需要裹到粉。

3. 置入電鍋蒸，外鍋放兩杯水；等電鍋跳起後，檢查馬鈴薯是否已經蒸熟，如果馬鈴薯還沒有熟或粉蒸粉看起來乾乾的，內鍋可再倒入少許油與水，略為攪拌，外鍋再放兩杯水繼續蒸第二次即可。

變化：材料可用麵腸（麵筋）代替，或加入新鮮香菇。

知識：

馬鈴薯原產於南美洲安第斯山高原，皮有呈黃色、土白色、粉紅色、深紅色、紫色，品種因產地不同而異。馬鈴薯纖維比蕃薯少兩倍，熱量比白米飯少一倍。與蔬果混合吃（如櫻桃、胡蘿蔔等），可改善貧血所引起的暈眩、肢體無力、手足冰冷。馬鈴薯的蛋白質與維他命B是蘋果的10倍，維他命C是蘋果的3倍半。

餛飩湯

材　料：小白菜1斤、紅蘿蔔少許、新鮮香菇1朵
煎香菇頭5片（做法請見89頁）、中型餛飩皮半斤

調味料：鹽1大匙、胡椒粉1大匙、香油1大湯匙、海苔片少許

步驟：

1. 新鮮香菇與煎香菇頭一起切碎備用。
2. 紅蘿蔔切片，燙軟。小白菜水滾後，過水汆燙即可撈起，不可燙太久。紅蘿蔔及小白菜切碎後，用布包起來擠水。加入步驟1.香菇等碎末及調味料，攪拌均勻即可。

注意事項：

包餛飩時，在盤子上面灑一點麵粉，以免餛飩沾黏盤子。如需冷凍，請整盤放入冷凍庫，等餛飩冷凍後，再分裝到塑膠袋或盒子內冷凍。

食用方法：

1. 餛飩湯：水滾後放入餛飩，轉中火煮一分鐘左右，見皮變成透明即可撈出放入碗中，加入熱水或高湯及調味料（鹽、胡椒粉、醬油膏、香油、榨菜絲、芹菜末、海苔片）。

紅油抄手

2. 紅油抄手：碗中先拌勻調味醬（紅辣油、醋、醬油、香油），放入煮好的餛
   飩，灑上香菜末及榨菜絲即可。

包餛飩步驟：

1

將餛飩皮放在左手掌上，用
小湯匙挖一匙餡放在中間。

2

在手指兩邊的皮邊抹
上水。

3

將皮對折成三角形

4

用手指將餛飩皮兩邊都黏
住。（黏的時候請小心，不
要將皮拉大。）

5

將黏好的餛飩180度
轉向（三角尖端朝自
己），在左邊的角抹
一點水。

6

兩手抓住兩個角。

7

將左右兩邊的角往內彎，
有抹水的角在下面。

8

將皮黏住。

9

完成了漂亮的餛飩。

胖胖豬，露露

在離比弗瀑布不遠的地方，喬安和傑克同意照顧他們女兒的胖胖豬，露露。

由於他們的女兒一直沒來領回她的寵物，沒多久，露露就正式屬於傑克和喬安了。

露露不停地長大，老夫婦和小胖豬之間的感情也跟著增長。

有一天，喬安獨自在家時心臟病突然發作，當時傑克正在伊利湖上捕魚。

痛苦的喬安試著對外求救，她朝窗口扔東西並大聲呼喊，但都無濟於事，沒有任何人注意到她，只是讓附近的狗狂吠罷了。在一旁的露露悲悽地看著喬安，並流下大滴大滴的眼淚，但露露並沒有傻傻地待在家對著主人哀嚎流淚，她知道該怎麼做。

她用胖胖的身體奮力擠過窄小的狗門，接著不知用什麼方法將大門推開跑了出去，躺在馬路上。

沒多久，一個好人將卡車停了下來，看到露露因為勉強擠過窄小狗門而受傷流血的肚子，便走向喬安家並大喊：「夫人，你的豬受傷了，需要幫忙。」

「我的心臟病發了，我也需要幫忙。」她回答說，「請幫我叫救護車。」

喬安立即被空運到醫療中心做心臟手術，手術順利完成後，

我不能呆呆只是哭，我要勇敢救主人。

動物以真心對待牠的主人。但大多數的人們，只想將牠們做成佳餚大快朵頤。

醫生告訴她，再遲一點就救不回她的命了。

這是1998年10月10日刊載在「匹茲堡郵報」的一個真實故事。

聰明勇敢的胖胖豬露露救了女主人的故事，直到今日仍令人津津樂道，後來迪士尼電影公司也製作了以露露為靈感的電影呢。

異國風味

增添餐桌的美味與樂趣...

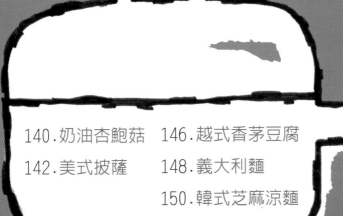

140.奶油杏鮑菇　　146.越式香茅豆腐

142.美式披薩　　　148.義大利麵

　　　　　　　　150.韓式芝麻涼麵

奶油杏鮑菇

材　料：杏鮑菇2條

調味料：素食奶油1大匙

步驟：

1. 杏鮑菇洗淨，切薄片。

2. 平底鍋先加熱，抹上奶油，將杏鮑菇平均放入鍋中。待杏鮑菇變軟，且顏色轉為金黃色即可盛入盤中。

食用方法：

可淋上少許新鮮檸檬汁，視個人口味灑上異國香料如羅勒葉、洋香菜，或灑上胡椒鹽即可食用。

變化：

可將整條杏鮑菇略劃幾刀，放入已預熱烤箱，用200度約烤15分鐘，待杏鮑菇變軟且出水即可取出，在切縫抹上奶油。

知識：

杏鮑菇是高纖維、低脂肪、低熱量、蛋白質含量高，是減肥最佳食物。杏鮑菇經過加熱後，會釋出多醣體，是養生抗癌最天然健康食材。

美式披薩

薄皮披薩——道地的美式披薩

餅皮材料：中筋麵粉3.5杯、橄欖油1/4 杯、酵母粉3茶匙、蘇打粉半茶匙、溫水300cc、糖2茶匙、鹽1茶匙

發麵步驟：

1. 鍋內放入溫水、糖攪拌均勻後，陸續放酵母粉及蘇打粉攪拌均勻，放置約3-5分鐘後，看到起泡，放入鹽攪拌，及慢慢灑入1杯麵粉，用攪拌器攪拌，再加入橄欖油，攪拌均勻後，放置約20分鐘發酵。

2. 發酵後，將剩下的麵粉慢慢加入，這時用塑膠刮刀或木匙，以折疊方式揉麵糰，等麵糰成形後，再用手揉麵糰，也是以折疊方式揉至麵糰表面平滑後，抹上少許油，再用濕布覆蓋在鍋上（布不可以碰觸到麵糰），放置溫暖處約30分鐘（視實際情況）讓麵糰發酵至2倍大左右。

披薩番茄醬材料：

可果美番茄糊(Tomato Paste) 200公克、Hunt's Tomato Sauce100公克、番茄2粒、洋菇10朵、薑末1大匙、九層塔末2大匙、香菜末少許、糖3茶匙、鹽1茶匙

香料：小茴香1茶匙、義大利香料3茶匙、黑胡椒粉1茶匙。
　　　（若無九層塔，可用羅勒葉代替）

步驟：

1. 洋菇洗淨，將洋菇及蒂頭分開，蒂頭切小碎末，洋菇切片做披薩用。番茄切小丁。

2. 鍋內放油，將薑末略炒，然後倒入洋菇蒂頭末炒約2分鐘後，陸續倒入番茄糊、番茄丁、Tomota Sauce、香菜末、九層塔末，及所有的香料，用小火一直攪拌，攪拌越久香味越香，若放置冰箱冷藏，隔夜會更香。

配料：

素食起士絲、洋菇片、紅椒（青椒、黃椒皆可）、去籽黑橄欖、鳳梨罐頭。（可用個人喜好的蔬果）

步驟：

1. 紅椒洗淨，對半切，抹上少許油，放入烤箱烤至皮略黃，再切細條。黑橄欖切片。鳳梨要將水分濾乾後切小塊。

2. 麵糰發酵完成後，桌面上灑上麵粉，將麵糰桿成麵皮，麵皮要比烤盤略大。皮要薄。若是不好拿起，可先折2折後，移至烤盤再攤開。

3. 麵皮鋪在盤內，將多餘的皮折入烤盤邊，用大拇指壓邊。

4. 烤箱預熱，將麵皮入烤箱約烤1分鐘後就取出（不要烤太久）。

5.塗上炒好的番茄醬（薄薄一層即可），灑上起士絲，舖上切好的配料。

6.烤箱預熱後，用225°溫度，將步驟3.做好的披薩放入，烤約10分鐘左右，麵皮已略黃即可取出（時間視烤箱而訂）。

變化：炒好的披薩番茄醬可用於千層麵、義大利麵等西式料理。

叮嚀：

1.披薩的配料，如果是有水分的，要先將水分瀝乾。

2.紅椒、黃椒等略烤過，會有不同的風味。

越式香茅豆腐

材　　料：剁碎新鮮香茅半杯、傳統豆腐1塊

調味料：海鹽、黑胡椒粉、白胡椒粉皆適量、油半杯

步驟：

1. 豆腐切片，兩面塗上鹽和白胡椒粉，放置30分鐘。

2. 將香茅的根部以料理機打碎備用。

3. 鍋中先放入油，用中大火快速翻炒香茅至發出香味而且酥脆，但不要燒焦（約需4-6分鐘），然後灑上鹽及黑胡椒放置一旁待冷卻。

4. 放油至鍋內以大火加熱後轉成中火，將豆腐放入鍋中，將豆腐兩面煎至焦黃，擺入盤中，淋上香茅即完成。

知識：

香茅原產印度，目前亞洲地區皆常見。有散寒利濕、止咳平喘的作用。全株皆可用，香茅葉可泡水喝，清香潤喉；香茅根可食用，通常可切碎入菜，或切小段煮湯，味道清爽可口。

義大利麵

材料：義大利細麵1包、白洋菇2盒、巴西利適量

調味料：鹽、黑胡椒粉皆適量、油1大匙

步驟：

1. 洋菇洗淨，切片。巴西利洗淨，切末。義大利麵煮熟。
2. 鍋中放半匙的油，用中火炒洋菇、放入鹽與胡椒，炒到出水盛出備用。
3. 剩餘的油倒入鍋中，用中火炒巴西利末，放入鹽與胡椒炒約30秒關火，加入麵條拌勻。
4. 淋上步驟2.炒好的洋菇（含湯汁）即完成。

變化：可用杏鮑菇切片代替白洋菇。

叮嚀：

1. 白洋菇量要多才會好吃。
2. 炒洋菇時會自己產生水，所以不要加水。

韓式芝麻涼麵

材料：麵條半斤、豆干2片、芹菜2兩、豆芽4兩

調味料：羅勒葉1茶匙、芝麻油2湯匙、芝麻1茶匙、醬油膏3湯匙、
　　　　蘋果醋（或梅子醋）2湯匙、韓式辣椒粉1茶匙

步驟：

1. 麵條煮熟，撈起過冷水瀝乾備用。
2. 豆乾及芹菜汆燙後切絲，豆芽菜汆燙。
3. 淋醬：將芝麻、芝麻油、醬油膏、蘋果醋（或梅子醋）調勻備用。
4. 將淋醬淋在麵上，灑上辣椒粉及羅勒葉，拌入豆乾絲、芹菜絲、豆芽菜
　　即可食用。

叮嚀：淋醬，請視個人及醋的酸度自行調整，若有芝麻醬，可拌入少許，
味道更香。辣椒粉也可用辣椒油代替，並視個人口味自行增減。

知識：

黑芝麻與白芝麻的營養素大致上差不多，不過黑芝麻在鐵、鈣及膳食纖維
的含量比白芝麻高了許多。《本草綱目》記載著「久服芝麻可以明眼、身
輕、不老」，《神農本草經》記載芝麻是「氣味甘平無毒，主傷中虛羸，
補五內，益氣力，長肌肉，填腦髓。」

到佛寺來的小動物...

到佛寺來的小動物，大都有著悲慘的身世。

有人帶一隻小山豬來到山上，小山豬只有三隻腳，一隻腿被捕獸夾夾住，救出來時已經斷了。只有幾個月大的牠，腳上的傷口還沒完全好，為了幫牠擦藥，將牠抱起來，這時牠發出尖銳的慘叫聲，奮力爭脫，以為要被捉去殺了！人！你做了什麼事，讓牠怕死你？

有人帶一隻小穿山甲來到山上，小穿山甲的尾巴受傷了。三皈依時，牠好奇地爬來爬去到處看，皈依完後牠迫不及待地回到山野。小穿山甲！希望你快點找到媽媽；希望你遠離羅網，順利地長大！

有人帶一隻鵝來到山上，皈依後取名「悟生」，希望牠有一個新的生活，遠離被宰殺的恐懼。「悟生」，可能有內傷吧？牠看起來如此地沉默，誰傷了牠呢？

有人帶著幾隻烏龜和鱉來到山上，有隻鱉嘴角上還帶著魚鉤，魚鉤穿透牠的嘴，大家看著心疼，但誰也不知道該如何取下魚鉤，怕牠遭受更大的疼痛。三皈依完，放生到附近的河流。誰也不知道，如果，我們的嘴上一輩子有著一隻鉤，這輩子怎麼過活？

有人帶一隻小猴子來到山上，牠非常非常小，小到只有一隻原子筆高，看來才出生二、三個月。牠的媽媽被人捕殺當美食，幼小的牠，目睹母親的死

亡，驚恐不已，隨即被捕殺人捉下山，當成他兒子的玩具。就在牠快被玩死前，善心人將牠贖出，帶到佛寺，希望牠長大後回歸山林。

小猴子皈依後取名「悟空」，對佛寺非常好奇，每件東西都要摸摸看看，最喜歡跑到大殿，大眾繞佛時會緊緊跟著，牠是怕被丟棄嗎？

牠害怕自己獨處，睡覺時常常抽搐，突然驚醒，或許是當初在媽媽懷中睡覺時，母猴遭到獵殺，所以牠非常沒有安全感。「悟空」最喜歡喝豆奶，

是豆奶和猴媽媽的奶相近嗎？——豆奶雖好喝，但是依偎在媽媽懷裏喝奶的日子，應該是悟空永遠的懷念。

「悟空」越長大越調皮，不能讓牠自行進大殿，否則，大殿會被牠鬧翻了，所以要關在籠子裏才可以進來。相信嗎？為了想要進大殿，跟大家在一起，牠會自己開籠子門，跑進籠子裏，讓我們提進來，一起做晚課。有次調皮不肯進籠子，就懲罰牠不准進大殿。那晚，牠像蝙蝠一樣，倒掛在窗口外（因為只有這個小氣窗看得到裏面），哭個不停，一直往大殿裏面瞧。此情此景，令人於心不忍，還是讓牠進來了。

牠一直跟著我們一起做功課，也跟著誦了一個月的《地藏經》。但，還沒來得及長大，就被附近的壞狗咬死。在這期間，牠都在佛寺過著清淨的生活，只是沒有媽媽！沒有媽媽的保護，才會被狗咬死。

我不知道，未來還有人會帶一隻什麼到山上來。但我知道，只要大家繼續吃肉，這樣子的事便不會停止。

素食心中有一朵花，有生命的花，有慈悲的花！

註：山下鄰長家也曾經有一隻猴子，牠斷了一隻腿，應該也是被捕獸夾夾斷的。可能無法在別處求生，跑到鄰長家的鴨寮找食物，住久了也和狗兒們成了朋友。雖是保育類動物，也沒有辦法阻止人們的獵殺行為。只有大家不再吃眾生肉，牠們才不會繼續受到傷害。

選擇

Choices

每次吃飯前，都是一次的選擇

Every time we are about to eat, we have to make a choice.

漢堡？排骨便當？香雞排？
羊肉爐？牛肉麵？豬排？

Hamburger? Ribs? Chicken breast?
Mutton hot pot? Beef noodles? Pork chop?

自從知道了一些事....

Since I learned about certain things…

我的心裏開始...

I started to have…

有很多想法

many new thoughts.

終於決定！！！

Finally I decided

做自己覺得應該做的事

to do what I thought I should do.

拋棄以往愛吃的食物...

And left behind the foods I used to love to eat

素食中有一朵花花嗎？

Is there really a flower in vegetarian food ?

那朵花...在你心中

That flower is within your heart.

法界佛教總會簡介

美國「萬佛聖城」是西方佛教史上第一座大道場，它是宣化上人所成立的，乃西方佛教的發源地，所謂萬佛城，成萬佛，萬佛都來成。

而，萬佛聖城是「法界佛教總會」這把大傘蓋的總部。這把大傘，廣而言之是盡虛空、遍法界的；以我們這個世界來說，略而言之，就是所有宣化上人座下的道場、機構。

它

——以法界為體。

——以將佛教的真實義理，傳播到世界各地為目的。

——以翻譯經典、弘揚正法、提倡道德教育、

　　利樂一切有情為己任。

為此，上人立下家風：

凍死不攀緣，餓死不化緣，窮死不求緣，隨緣不變，不變隨緣，

抱定我們三大宗旨：

捨命為佛事，造命為本事，正命為僧事。

即事明理，明理即事，推行祖師一脈心傳。

有　人　問：法界佛教總會自從一九五九年創立以來，它有多少道場？

　　　　　——近30座，遍佈美、亞洲。

其中僧眾本著上人所創的「六大條款」：不爭、不貪、不求、不自私、不自利、不妄語為依循；並恪遵佛制：日中一食、衣不離體。持戒念佛，習教參禪，和合共住地獻身佛教。

又有人問：它有多少機構？

　　　　　——國際譯經學院、法界宗教研究院、僧伽居士訓練班、法界佛教大學、培德中學、育良小學等。

這傘蓋下的道場、機構，門戶開放，沒有人我、國籍、宗教的分別，凡是各國各教人士，願致力於仁義道德、明心見性者，歡迎您前來修持，共同研習！

法界佛教總會及分支道場

法界佛教總會・萬佛聖城

Dharma Realm Buddhist Association &
The City of Ten Thousand Buddhas

4951 Bodhi Way, Ukiah, CA 95482 U.S.A.

Tel: (707) 462-0939

Fax: (707) 462-0949

www.drba.org   www.drbachinese.org

www.cttbusa.org   www.cttbchinese.org

www.bttsonline.org

國際譯經學院

The International Translation Institute

1777 Murchison Drive,

Burlingame, CA 94010-4504 U.S.A.

Tel: (650) 692-5912

Fax: (650) 692-5056

www.drba.org/branches/iti

法界宗教研究院（柏克萊寺）

Institute for World Religions
(Berkeley Buddhist Monastery)

2304 McKinley Avenue,

Berkeley, CA 94703 U.S.A.

Tel: (510) 848-3440

Fax: (510) 548-4551

www.berkeleymonastery.org

金山聖寺

Gold Mountain Monastery

800 Sacramento Street,

San Francisco, CA 94108 U.S.A.

Tel: (415) 421-6117   Fax: (415) 788-6001

www.goldmountainmonastery.org

金聖寺

Gold Sage Monastery

11455 Clayton Road, San Jose, CA 95127 U.S.A.

Tel: (408) 923-7243   Fax: (408) 923-1064

www.drbachinese.org/branch/GSM

法界聖城
City of the Dharma Realm

1029 West Capitol Avenue,
West Sacramento, CA 95691 U.S.A.
Tel: (916) 374-8268   Fax: (916) 374-8234
www.cityofdharmarealm.org

金輪聖寺
Gold Wheel Monastery

235 North Avenue 58,
Los Angeles, CA 90042 U.S.A.
Tel: (323) 258-6668   Fax: (323) 258-3619
www.goldwheel.org

長堤聖寺
Long Beach Monastery

3361 East Ocean Boulevard,
Long Beach, CA 90803 U.S.A.
Tel/Fax: (562) 438-8902
www.longbeachmonastery.org

福祿壽聖寺
Blessings, Prosperity & Longevity Monastery

4140 Long Beach Boulevard,
Long Beach, CA 90807 U.S.A.
Tel/Fax: (562) 595-4966

華嚴精舍
Avatamsaka Vihara

9601 Seven Locks Road,
Bethesda, MD 20817-9997 U.S.A.
Tel/Fax: (301) 469-8300
www.avatamsakavihara.org

金峰聖寺
Gold Summit Monastery

233 1st Avenue West,
Seattle, WA 98119 U.S.A.
Tel/Fax: (206) 284-6690
www.goldsummitmonastery.org

雪山寺
Snow Mountain Monastery

P.O. Box 272
50924 Index-Galena Rd,
Index, WA 98256 U.S.A.
Tel: (360) 799-0699   Fax: (815)346-9141

173

法界佛教印經會
（美國法界佛教總會駐華辦事處）
Dharma Realm Buddhist Books Distribution Society
臺灣省臺北市忠孝東路六段85號11樓
11th Floor, 85 Chung-hsiao E. Rd., Sec.6,
Taipei 115, Taiwan, R.O.C.
Tel: (02) 2786-3022   Fax: (02) 2786-2674
www.drbataipei.org
www.fajye.com.tw
enews.fajye.com.tw

法界聖寺
Dharma Realm Sagely Monastery
臺灣省高雄市六龜區興龍里東溪山莊20號
No. 20, Dong-si Shan-jhuang, Liou-guei Dist.,
Kaohsiung 844, Taiwan, R.O.C.
Tel: (07) 689-3713   Fax: (07) 689-3870
www.drbataipei.org/drm

彌陀聖寺
Amitabha Monastery
臺灣省花蓮縣壽豐鄉池南村四健會 7 號
No. 7, Su-chien-hui, Chih-nan Village,
Shou-feng, Hualien County 974, Taiwan, R.O.C.
Tel: (03) 865-1956   Fax: (03) 865-3426
www.drbataipei.org/am

法界佛教印經會9樓

佛教講堂
Buddhist Lecture Hall
香港跑馬地黃泥涌道 31 號 11 樓
31 Wong Nei Chong Rd., Top Floor,
Happy Valley, Hong Kong, China
Tel: (852) 2572-7644   Fax: (852) 2572-2580

慈興禪寺
Cixing Monastery
香港大嶼山萬丈瀑
Lantou Island, Man Cheung Po,
Hong Kong, China
Tel: (852) 985-5159

金佛聖寺
Gold Buddha Monastery

248 East 11th Avenue,
Vancouver, B.C., V5T 2C3 Canada
Tel: (604) 709-0248   Fax: (604) 684-3754
www.gbm-online.com

華嚴聖寺
Avatamsaka Monastery

1009 4th Avenue, S.W.
Calgary, AB, T2P 0K8, Canada
Tel: (403) 234-0644   Tel/Fax:(403) 263-0637
www.avatamsaka.ca

金岸法界
Gold Coast Dharma Realm

106 Bonogin Road, Mudgeeraba,
Queensland 4213, Australia
Tel/Fax: (61) 7-5522-8788, 7-5522-7822
www.gcdr.org.au

法緣聖寺
Fa Yuan Sagely Monastery

1, Jalan Utama, Taman Serdang Raya,
43300 Seri Kembangan, Selangor, Malaysia
Tel: (03) 8948-5688

法界觀音聖寺（登彼岸）
Dharma Realm Guanyin Sagely Monastery
(Formerly Deng Bi An Temple)

161, Jalan Ampang,
50450 Kuala Lumpur, Malaysia
Tel: (03) 2164-8055   Fax: (03) 2163-7118

般若觀音聖寺（紫雲洞）
Prajna Guanyin Sagely Monastery
(Formerly Tze Yun Tung Temple)

Batu 5 1/2, Jalan Sungai Besi, Salak Selatan,
57100 Kuala Lumpur, West Malaysia
Tel: (03) 7982-6560   Fax: (03) 7980-1272

觀音聖寺
Guan Yin Sagely Monastery

No. 166A Jalan Temiang,
70200 Negeri Sembilan, West Malaysia
Tel/Fax: (06) 761-1988

馬來西亞法界佛教總會檳城分會
**Malaysia Dharma Realm Buddhist
Association Penang Branch**

32-32C, Jalan Tan Sri Teh Ewe Lim,
11600 Jelutong, Penang, Malaysia
Tel: (04) 281-7728   Fax: (04) 281-7798

素食中有一朵花

法界食譜・6

國家圖書館出版品預行編目 (CIP) 資料

素食中有一朵花 / 法界食譜工作群作 . — 初
版 . — 臺北市：法總中文部，2013.01
　面；　公分 . — （法界食譜；6）
ISBN 978-986-7328-60-1 (平裝)

1. 素食食譜

427.31　　　　　　　　101026511

作　者　法界食譜工作群

插圖創作　凱西・陳/阿空

發行人　法界佛教總會・佛經翻譯委員會・法界佛教大學

地　址　The City of Ten Thousand Buddhas　（萬佛聖城）

4951 Bodhi Way, Ukiah, CA 95482 U.S.A.

Tel: (707) 462-0939　Fax: (707) 462-0949

出　版　法界佛教總會中文出版部

地　址　台灣省台北市忠孝東路六段85號11樓

Tel: (02) 2786-3022　Fax: 2786-2674

倡　印　法界佛教印經會（美國法界佛教總會駐華辦事處）

地　址 / 電話：同上

法界文教基金會　　Tel: (07) 689-3713

台灣省高雄市六龜區興龍里東溪山莊20號

出版日　西曆2013年3月19日・初版一刷

佛曆3040年2月8日・釋迦牟尼佛出家日　恭印

www.drbachinese.org ・ www.drbataipei.org